LE LIVRE DE LA JUNGLE
Père loup trouva
un enfant entre les arbustes.
–C'est un petit d'homme!

Il fut accepté par la meute, bien que le tigre Shere Khan jura qu'un jour il l'attraperait. L'ours Baloo et Bagheera, la panthère, promirent de le protéger et devinrent ses meilleurs amis.

L'enfant, qu'ils appelèrent Mowgli,
grandit parmi les loups. Mais un
jour, la meute décida qu'il devait
les quitter.

Il se rendit au village et emporta le bien le plus sacré de la jungle: le feu.
—Si tu domines le feu, tous les animaux te respecteront, lui dit la panthère.

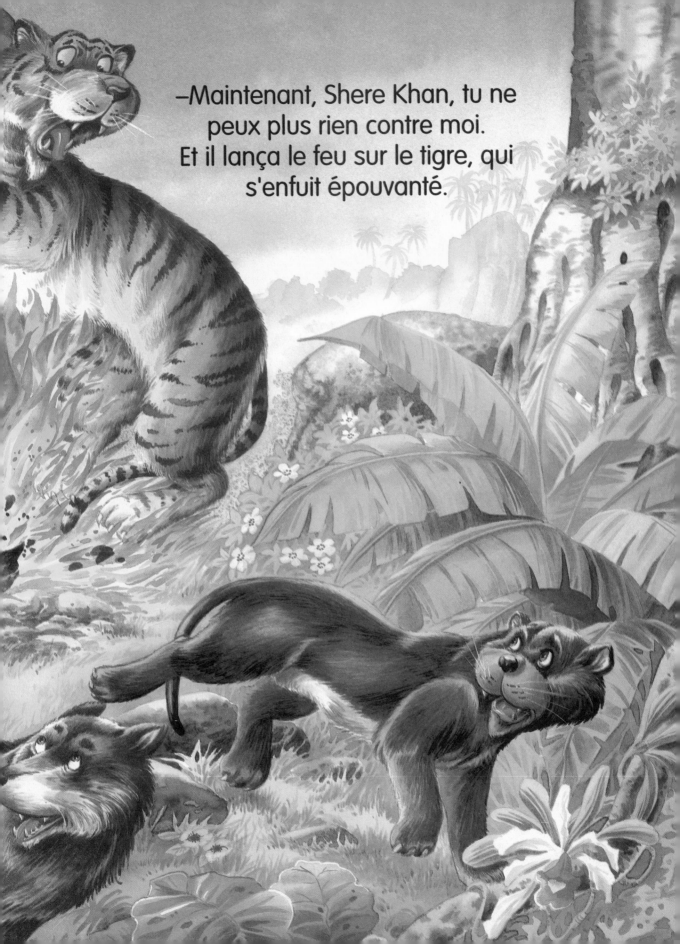

–Maintenant, Shere Khan, tu ne peux plus rien contre moi.
Et il lança le feu sur le tigre, qui s'enfuit épouvanté.

Il partit vers le village des hommes. Soudain, entre les arbres, apparurent des singes, qui le saisirent par une jambe.

Le Roi des singes lui dit:
–Tu seras libre si tu me confies
le secret du feu.

Là-dessus, Baloo et Bagheera, qui avaient tout vu, apparurent et donnèrent une bonne raclée aux singes.

D'énormes empreintes indiquè-
rent que Shere Khan était dans
le coin.

Mowgli demanda de l'aide
à un troupeau de buffles, et
entre tous ils parvinrent à
vaincre le tigre.

Ils arrivèrent enfin au village. Tandis que ses amis lui donnaient quelques conseils, Mowgli ne cessait de regarder une fillette qui remplissait sa cruche à la rivière.

—Quel animal est-ce, Baloo? fit-il.

—C'est une fillette... Va l'aider!
Mowgli traversa la rivière et quitta
la jungle.

LA MAISON EN CHOCOLAT

Un pauvre bûcheron vivait à l'orée d'une forêt avec sa femme et ses deux enfants, Hänsel et Gretel.

Un jour où les deux enfants étaient partis chercher du bois dans la forêt, la nuit tomba et ils ne purent rentrer chez eux. Ils étaient morts de peur, et tous les animaux les observaient…

Le lendemain matin, ils décidèrent de rentrer chez eux. Après avoir marché longtemps, ils aperçurent une maison merveilleuse: le toit était en chocolat, les cheminées en sucre et les murs en nougat.

—Tu as vu, Gretel? dit Hänsel. Courons
jusqu'à cette maison.
Les pauvres étaient si affamés qu'ils
pensaient la dévorer toute entière.

Ils avaient à peine goûté le grand gâteau de l'entrée que la propriétaire de la maison apparut. C'était une méchante sorcière qui attirait les enfants égarés dans la forêt pour les manger.

Hänsel eut beau se débattre, la sorcière parvint à l'enfermer dans un cachot. Il était maigre et elle voulait l'engraisser.

La sorcière préparait des plats succulents
pour Hänsel et faisait travailler jour et nuit
la petite Gretel.

Comme elle avait la vue basse, elle demandait tous les jours à Hänsel de lui montrer son doigt pour voir s'il avait grossi. Hänsel, qui était malin, lui tendait un os de poulet.

Mais, fatiguée d'attendre, la sorcière dit à Gretel:

−Demain, je mangerai ton frère!

Le lendemain, la sorcière fit sortir Hänsel de sa prison pour le faire cuire. Hänsel prit son élan et poussa violemment la vilaine femme dans le feu. Comme elle était très grosse, elle ne put se relever et mourut brûlée.

Les enfants prirent les trésors qu'ils trouvèrent dans la maison et, sur le dos d'un beau cygne blanc, ils rentrèrent chez eux, où leurs parents les attendaient impatiemment.